Novélisation : Elizabeth Barféty
Conception graphique : Audrey Thierry

Hachette Livre, 58, rue Jean-Bleuzen, 92178 Vanves cedex.

MONSTER HIGH

Boo York, Boo York
La comédie musicale monstrueuse

hachette JEUNESSE

MONSTER HIGH

Bienvenue à Monster High, le lycée le plus monstrueux du monde ! A première vue, il ressemble à tous les autres, avec ses cours de maths ennuyeux, sa cantine, ses élèves qui se promènent main dans la main... Oui, mais attention : ici, la directrice a une tête qui se sépare de son corps, les professeurs sont des fantômes, des zombies ou des squelettes, et les élèves sont tous un peu... différents ! Et l'essentiel, c'est qu'on y apprend à être soi-même et à assumer ses différences ! A Monster High, on est Monstres et fiers de l'être !

FRANKIE STEIN

Frankie est la plus jeune élève de Monster High, et pour cause : elle n'a que 15 jours ! Fille du Dr Frankenstein, elle est enthousiaste et curieuse de tout. Pas étonnant, après tout : elle a tout à découvrir ! Le revers de la médaille, c'est qu'elle peut aussi se montrer un peu naïve... et très maladroite. Les fils qui maintiennent ses membres ont une fâcheuse tendance à lâcher au pire moment possible ! Heureusement, Frankie a deux meilleures amies sur qui elle peut compter : Draculaura et Clawdeen !

DRACULAURA

Draculaura est la fille de Dracula, mais attention : elle ne boit pas une goutte de sang. Non, elle est végétarienne ! Chaleureuse et attentionnée, c'est l'amie idéale, même si elle peut se montrer un peu envahissante... et très bavarde ! Comme elle ne se reflète pas dans les miroirs, elle ne peut pas vérifier son maquillage... mais à 1 600 ans, elle a assez d'expérience pour ne plus se tromper ! Son petit ami est Clawd Wolf, le frère de Clawdeen.

CLAWDEEN WOLF

Clawdeen a 15 ans
et appartient à une grande
famille de loups-garous.
D'ailleurs, certains de ses
frères et sœurs sont aussi
à Monster High, ce qu'elle
trouve plutôt énervant...
surtout quand son frère Clawd
sort avec sa meilleure amie,
Draculaura. Clawdeen a confiance
en elle, c'est une amie loyale
et une grande fan de mode.
Le problème, avec son côté
loup-garou, ce sont les poils,
bien sûr... Enfin, au moins,
elle a des cheveux sublimes !

GHOULIA YELPS

Ghoulia est une zombie de 16 ans affreusement intelligente qui ne parle que le zombie. « Uggh ruuur ! » Il lui est impossible de choisir sa matière préférée, elle les aime toutes ! Mais sa passion, ce sont les BD. Très timide, elle a commencé à sortir de sa coquille quand Cleo de Nile l'a prise sous son aile.

CLEO DE NILE

Princesse
égyptienne âgée
de plus de 5 800 ans,
Cleo a un sacré caractère !
Ce qu'elle aime
par-dessus tout ?
Donner des ordres !
C'est pour ça qu'elle est
capitaine des Pom-Pom
Monstres. Il lui arrive
parfois d'avouer qu'elle a
un cœur, à ses amies ou
à Deuce, son petit ami.

DEUCE GORGON

Deuce a 16 ans et il est
le fils de Medusa.
Sa petite amie est Cleo
de Nile, bien que tout
les oppose, notamment
leur look ! Il ne quitte
jamais ses lunettes
de soleil, au risque
de changer ses amis
(qui le trouvent super-cool !)
en pierre d'un seul regard.

Une invitation inattendue

À Monster High, chaque élève est unique. Certains sont même connus dans le monde entier ! C'est le cas de Catty Noir : la jeune chanteuse star vient de surprendre ses fans en annonçant qu'elle faisait une pause dans sa carrière pour s'inscrire à Monster

High. Bien entendu, Frankie, Cleo, Clawdeen, Draculaura et leurs amies sont ravies et l'ont immédiatement adoptée !

– J'ai hâte d'entendre ta nouvelle chanson ! lui dit Frankie, alors qu'elles parcourent les couloirs, après les cours.

Catty sourit, puis fait un signe à sa nouvelle amie avant de se diriger vers la salle de répétition, car elle est venue à Monster High avec un projet.

Je veux enfin pouvoir écrire une chanson qui me tienne à cœur, songe la chanteuse en s'installant au piano. *Un morceau qui parle de ce que je ressens…*

Mais, depuis qu'elle est arrivée, impossible de trouver l'inspiration ! La Goule a connu le succès grâce à ses

chansons d'amour… pourtant, elle n'a elle-même jamais connu la passion qui emporte tout sur son passage. *J'ai l'impression d'être un imposteur !* se lamente-t-elle, en froissant une nouvelle partition. *Je dois trouver ma propre voix ! Mais comment faire ?*

Pour se changer les idées, la Goule va faire quelques pas dehors. Elle observe le ciel nocturne au moment où ce qu'elle prend pour une étoile filante passe au loin. La Goule la suit du regard…

À des kilomètres de là, Ramsès de Nile, le redoutable père de Cleo, observe lui aussi le ciel. Il a identifié le point lumineux qui s'y déplace rapidement. La Comète.

– Après 1 300 ans d'attente, le moment est enfin arrivé, annonce-t-il à sa fille Nefera. Fais tes valises et préviens Cleo. Nous partons pour Boo York !

Le lendemain matin, Cleo annonce la bonne nouvelle à son petit ami Deuce.

– Papa m'emmène à Boo York ! Il m'a parlé d'une histoire d'artefact d'Égypte ancienne qui sera exposé pour la première fois au Muséum d'Histoire Surnaturelle… Le Cristal Cométaire, je crois.

Son petit ami la regarde, sans comprendre son enthousiasme.

– Et tu viens avec moi ! ajoute la Goule avec un grand sourire.

– Waouh ! Pour de vrai ?

– Oui ! Tu verras, ça va être génial ! On ira à cette soirée de gala super-chic…

– *Super-chic* ? répète Deuce, mal à l'aise. C'est pas trop mon truc, ça…

Heureusement, Cleo a tout prévu. Elle tend à Deuce une nouvelle paire de lunettes de marque… et une barbichette de pharaon en or massif ! Puis elle s'écarte de quelques pas pour admirer le nouveau look égyptien de son petit ami. Pas mal…

– Ton père trouve déjà que je ne suis pas assez bien pour toi, marmonne Deuce. Qu'est-ce qui se passera si je te fais honte, au gala ?

– Toi, me faire honte ? Impossible ! lui souffle Cleo en l'embrassant.

Un peu rassuré, Deuce suit Cleo jusqu'à la cantine de Monster High, où les attendent Frankie, Draculaura, Clawdeen, Operetta et Catty. Cleo s'empresse de leur raconter le coup de fil de son père.

– Boo York ! s'exclame Frankie en attrapant la main de son amie. Je donnerais un bras pour y aller…

Comme pour appuyer ses paroles, la couture du poignet de la Goule cède et sa main reste dans celle de Cleo !

– Oups… désolée ! souffle Frankie en la remettant en place.

– Tu sais, reprend Cleo, mon père a dit que je pouvais emmener une ou deux amies…

Toutes les Goules se mettent à parler en même temps : chacune a une excellente raison de l'accompagner dans la ville la plus célèbre du monde !

– Du calme ! les interrompt Cleo. J'ai pris ma décision… Vous viendrez toutes avec moi !

Les Goules laissent éclater leur joie.

– Peu importe ce que tu cherches, récite Catty, tu le trouveras à Boo York ! Enfin, c'est ce qu'on dit…

La chanteuse ne l'a pas révélé à ses amies, mais elle espère bien sûr y dénicher l'inspiration qui lui manque tant…

Boo York, nous voilà !

Quand on est une De Nile, on ne traîne pas ! Dès le lendemain, Cleo et ses amis atterrissent à Boo York. Ils prennent à peine le temps de déposer leurs valises à l'hôtel avant de filer dans les rues de la ville. Première étape : les boutiques ! On ne peut pas venir à Boo York sans commencer par un peu de shopping…

Le petit groupe part ensuite en métro en direction de Times Scare, la place la plus animée de la ville. Les Monstres sont en train d'admirer un danseur de rue quand une jeune Goule fait tomber sa valise à côté d'eux. Draculaura se précipite pour l'aider.

– Je m'appelle Luna Mothews, annonce la Goule, qui en profite pour se présenter.

– Enchantée ! répond la petite vampire. Voici mes amis de Monster High. C'est la première fois que tu viens à Boo York ?

La Goule hoche la tête : elle débarque de province et rêve de chanter un jour à Croc-dway. C'est dans cette rue de la ville que se trouvent les théâtres les plus célèbres. De nombreuses stars y ont été découvertes et Luna aspire à connaître le même destin ! Sans hésiter, elle se lance dans une démonstration de chant et de danse… et rentre de plein fouet dans une Goule qui ressemble étrangement à Toralei !

– Qu'est-ce que tu fais ici ? grogne Cleo en découvrant son ennemie de toujours.

– Voyons, c'est Nefera m'a invitée, rétorque la peste avec un sourire satisfait.

En effet, à quelques pas, Cleo aperçoit sa grande sœur, qui lui fait

un signe de la main. La Goule serre les dents : qu'est-ce que Nefera est encore allée inventer ?

Mais Cleo refuse de laisser sa sœur lui gâcher la journée. Elle rejoint ses amis, qui sont en train de danser un peu plus loin. C'est une jeune robot qui joue les DJ sur sa table de mixage holographique.

— Bravo, c'était électrique ! la félicite Frankie quand la robot fait une pause.

— Merci beaucoup ! Je m'appelle Elle Eedee. Et vous ?

Les élèves de Monster High se présentent. En entendant le nom de Cleo de Nile, la jeune DJ s'écrie :

— Alors vous venez pour le gala de demain soir, c'est ça ? La famille Ptolémée m'a engagée pour m'occuper

de la musique ! Cette Comète doit être super-importante…

Cleo pousse un cri.

– Oh, mon Râ ! J'ai complètement oublié : mon père m'a demandé de le rejoindre chez les Ptolémée ! Je vous retrouve plus tard !

Traînant un Deuce très soucieux derrière elle, la Goule s'avance pour tenter de héler un taxi. Mais rien à faire. Nefera n'a pas plus de succès, et les sœurs commencent à s'inquiéter : leur père ne supporte pas les retards…

Soudain, une jeune rate boo-yorkaise passe devant eux, les bras chargés de sacs. Elle lève le bras d'un geste sûr et, une seconde après, un taxi s'arrête dans un crissement de pneus.

– Waouh ! Comment tu as fait ça ? s'exclame Deuce, admiratif.

– Allez-y, leur propose gentiment la rate. Je prendrai le prochain !

Mais quand elle entend le chauffeur de taxi leur suggérer un itinéraire complètement embouteillé, le sang de la Boo-Yorkaise ne fait qu'un tour. Hors de question de laisser ces touristes se faire arnaquer ! Elle

décide de monter avec eux pour les amener à bon port.

– Je m'appelle Mouscedes King ! se présente-t-elle après avoir donné ses instructions au chauffeur.

Tandis que les sœurs De Nile se présentent à leur tour, le taxi s'éloigne en direction d'une des plus hautes tours de la ville, le domaine des

Ptolémée, la plus puissante famille de Boo York…

Quelques minutes plus tard, Nefera, Cleo et Deuce rejoignent Ramsès dans le hall de la tour.

– Salut, papa ! s'écrie Cleo, essoufflée. Désolée d'être en retard…

M. de Nile les pousse dans un ascenseur en les fusillant du regard.

– Si vous n'étiez pas mes filles, je vous maudirais !

Heureusement pour Cleo, les portes de l'ascenseur s'ouvrent de nouveau et tous les quatre pénètrent dans un vaste bureau lumineux. La vue sur Boo York est imprenable.

C'est une femme qui les accueille, assise derrière son bureau. Mme Ptolémée leur présente son fils, Seth ; il porte un masque en or massif qui dissimule entièrement son visage. Ramsès met un genou à terre pour les saluer, puis ordonne d'un regard à ses filles de l'imiter.

– Euh… bonjour ! lance Cleo, gênée.

– Je vois que vous avez amené… un ami ? interroge Mme Ptolémée, levant un sourcil dédaigneux.

– Salut ! s'exclame joyeusement Deuce.

Sans répondre, la maîtresse des lieux s'avance et écarte les écouteurs que Deuce a maladroitement gardés sur les oreilles. Une musique de rap résonne dans le bureau glacial.

– Voilà donc ce que les jeunes d'aujourd'hui appellent de la musique… C'est atroce ! N'est-ce pas, Seth ?

– Tout à fait, mère.

Ramsès rougit de honte, tandis que Cleo soupire. Parfois, elle doit bien reconnaître que Deuce et elle n'ont pas tout à fait la même éducation…

– Malheureusement, je dois vous abandonner, reprend Mme Ptolémée. Mais nous nous verrons demain soir, au gala. Ce sera l'occasion pour nos familles de se rapprocher, n'est-ce pas, Ramsès ? Pendant la Nuit de la Comète…

Le père de Cleo hoche la tête, en jetant un coup d'œil discret à Nefera. Les deux sœurs sentent que quelque chose leur échappe…

Le plan de Nefera

Nefera est une De Nile. Elle déteste qu'on lui cache quelque chose… Il ne lui faut donc pas longtemps avant de découvrir le fin mot de l'histoire ! Dans la voiture qui les conduit vers l'hôtel de Ramsès, elle interroge son père sur son projet secret.

– Tu sais que la Comète arrivera demain soir, n'est-ce pas ? explique Ramsès. Mais comprends-tu son importance pour notre dynastie ?

– Je sais que c'est grâce à elle que j'ai gagné un voyage gratuit à Boo York, répond Nefera.

Son père secoue la tête.

– Il y a des siècles de cela, un morceau de la Comète s'est détaché et s'est écrasé dans le désert. Notre peuple l'a découvert : c'était le fameux Cristal Cométaire. Il possède un pouvoir particulier : toute promesse faite en sa présence, au moment où la Comète se trouve au-dessus de la Terre, devient irrévocable.

Nefera hausse les épaules, sans comprendre où il veut en venir.

– La coutume veut que les fiançailles royales se tiennent à la lumière de la Comète, car le pouvoir du Cristal rend alors la promesse du couple éternelle.

– Et en quoi ça me concerne ? interroge Nefera en bâillant.

– Le pouvoir, la richesse, la ville de Boo York… Tout cela sera à nous une fois que tu seras fiancée à Seth Ptolémée !

Le choc passé, Nefera proteste. Elle refuse d'épouser ce garçon bizarre ! En revanche, la Goule ne peut pas nier que le pouvoir et l'argent l'intéressent… Elle a aussitôt une idée brillante !

– Cleo serait parfaite en reine de Boo York, souffle-t-elle à son père. Et nous serions là pour la guider…

– Mais si elle refuse de coopérer ? interroge Ramsès.

– Ne t'inquiète pas, répond Nefera. Je me charge de me débarrasser de Deuce !

Voilà une idée qui plaît à Ramsès, qui n'a jamais apprécié le petit ami de sa fille cadette. Sans perdre un instant, Nefera appelle Mouscedes, la jeune rate rencontrée dans le taxi.

– Est-ce que tu pourrais m'aider à organiser un brunch ?

Le lendemain matin, Cleo fait son entrée dans le restaurant de l'hôtel. Elle a été surprise que Nefera organise cet événement et qu'elle l'y invite avec ses amis. Tout cela ne ressemble pas à Nefera, elle a sûrement une idée derrière la tête…

– Ah, voici nos invités d'honneur ! s'exclame Nefera en voyant arriver Mme Ptolémée et son fils Seth.

Alors que ce dernier prend place à côté de Cleo, la Goule cherche son petit ami du regard.

– Ne t'inquiète pas, la rassure Nefera avec un sourire diabolique.

Deuce va arriver…

Seth tente d'engager la conversation avec sa voisine en lui récitant de la poésie. La pauvre Cleo est à deux doigts de mourir d'ennui. Au bout d'une bonne heure, un bruit à l'entrée du restaurant lui fait tourner la tête. Deuce vient d'arriver… en maillot de bain, palmes et bouée !

– Salut, tout le…

Le Monstre s'arrête, réalisant que quelque chose ne va pas. Cleo se précipite vers lui.

– Mais pourquoi es-tu habillé comme ça ?

– Je croyais que c'était une fête dans la piscine…

Cleo secoue la tête, applique la fausse barbichette de pharaon sur le menton de Deuce et l'entraîne à table. Mais le Monstre est arrêté par le maître d'hôtel, qui lui prête une veste hideuse et bien trop large pour lui. Le pauvre Deuce est vraiment ridicule !

Pourtant, il n'est pas au bout de ses peines : il commence par renverser un verre sur la table, puis panique lorsque Nefera lui fait discrètement remarquer que les plats sont en feu.

Le Monstre n'a pas compris que les cerises flambées sont toujours servies de cette façon... Il s'empare donc d'un extincteur et couvre de mousse la table, mais aussi tous les convives ! Le brunch n'aurait pas pu tourner plus mal.

Cleo, morte de honte, lui siffle :

– Deuce, c'est normal qu'un plat flambé brûle... C'est le but !

Puis elle quitte le restaurant, furieuse.

Nefera n'a plus qu'à venir achever son œuvre. Elle s'approche du Monstre et lui souffle :

– Bien joué, Deuce...

– Je ne sais pas pourquoi je finis toujours par faire honte à Cleo, soupire-t-il.

— Ce n'est pas ta faute, répond
Nefera. Cleo est une princesse égyptienne. Et toi, tu es… Deuce.

Le Monstre baisse la tête, tandis
que Nefera enfonce le clou.

— Tu ferais mieux de lui rendre sa
liberté…

— Elle mérite mieux, acquiesce
Deuce, découragé.

La musique de la ville

À des kilomètres de là, la Comète file toujours dans le ciel. Soudain, un satellite vient la heurter, modifiant brusquement sa trajectoire. Elle se dirige à présent droit vers la Terre !

Bien entendu, cet événement passe inaperçu pour le commun des

mortels… mais pas pour Ghoulia !
À Monster High, la jeune zombie
reçoit une alerte sur son téléphone.
Intriguée, elle fonce aussitôt vers son
laboratoire.

Installée devant un ensemble
d'écrans, Ghoulia tape rapidement
sur son clavier. Une image de la
Comète apparaît sous ses yeux. En

découvrant la nouvelle trajectoire de la Comète, la Goule pousse une exclamation inquiète. Elle doit faire quelque chose !

C'est le moment que choisit son amie Abbey pour la rejoindre. La zombie l'informe sans tarder du danger qui les guette. Si elles ne parviennent pas à arrêter la Comète, elle va s'écraser sur Boo York !

– Mais… c'est là que se trouvent nos amies ! s'écrie Abbey, affolée.

Bien entendu, Ghoulia ne compte pas rester les bras croisés : elle se remet à taper sur son clavier à toute vitesse.

– Oh, tu pirates les satellites pour en apprendre plus ? comprend Abbey. Excellente idée !

Bientôt, Ghoulia fronce les sour-

cils : il se passe quelque chose de bizarre. C'est comme si la Comète envoyait un signal… Mais comment le déchiffrer ?

Ignorant le danger qui les guette, Cleo et ses amies visitent Boo York, accompagnées de Luna, la jeune provinciale qu'elles ont rencontrée un peu plus tôt, et Elle, la robot DJ.

Dans le métro, elles tombent sur un rassemblement : la foule entoure un jeune rappeur, que tout le monde appelle Pharaoh. Visiblement, il est très connu dans la ville.

Les amies s'arrêtent pour l'écouter, sous le charme… jusqu'à ce que le rappeur reconnaisse Catty et l'invite

à le rejoindre. Voilà comment les Goules se retrouvent à chanter et danser en plein cœur de Boo York, sous les acclamations de la foule !

À la fin de leur chanson, Catty enlève ses lunettes de soleil… La foule la reconnaît aussitôt et se précipite vers elle. Sans hésiter, Pharaoh la prend par la main et l'entraîne loin de ses fans déchaînés. Il connaît l'endroit idéal pour échapper aux paparazzis : les toits de la ville ! Il y entraîne Catty, se livrant à de périlleuses acrobaties pour passer d'un immeuble à un autre.

– Tu es fou ! s'exclame la chanteuse en riant.

– Ce qui est fou, c'est qu'une star comme toi tente de rester inaperçue dans les rues de Boo York ! rétorque le rappeur. En te faufilant par les toits, tu pourras explorer toute la ville !

Convaincue, Catty s'élance sur les talons de Pharaoh…

L'après-midi avançant, Catty et Pharaoh font connaissance, et ils se rendent rapidement compte qu'ils ont beaucoup de choses en commun… en particulier leurs goûts musicaux !

– Ça fait si longtemps que je n'ai pas passé de temps avec un vrai fan de musique, déclare Catty, ravie.

– Tes amis n'aiment pas la musique ? l'interroge Pharaoh, surpris.

– Pas vraiment. Et ma famille déteste !

Pharaoh a soudain une idée. Il conduit la chanteuse dans un lieu très parti-culier : la flamme de la Gargouille de la Liberté !

– Oh, ma Goule ! s'écrie Catty, en découvrant la vue spectaculaire.

– Ferme les yeux et écoute, lui souffle Pharaoh.

Au début, Catty n'entend que les

45

klaxons des voitures. Mais, au bout d'un moment, la chanteuse comprend ce que le rappeur veut lui faire découvrir. Elle n'entend plus le bruit de la ville… mais de la musique ! Voilà l'inspiration qu'elle cherchait !

De son côté, Cleo est de retour dans sa luxueuse suite. Elle tente de choisir la robe idéale pour le gala du lendemain. Elle hésite entre deux superbes robes quand Deuce la rejoint. Il a l'air abattu.

– Tu préfères laquelle ? demande la Goule, sans remarquer le trouble de son petit ami.

– Les deux sont très bien…, souffle-t-il.

– Tu ne m'aides pas beaucoup !
proteste Cleo. Qu'est-ce que tu vas
porter pour le gala, toi ?

– Je… Je ne viendrai pas, annonce
Deuce.

Cleo fronce les sourcils.

– C'est à cause de ce qui s'est passé
au brunch ? l'interroge-t-elle.

– Non, l'interrompt Deuce. C'est à
cause de tout ! Regarde-nous, Cleo.

Ça ne peut pas marcher entre nous. On est trop différents...

– Qu'est-ce que ça veut dire ?

– Je suis désolé, Cleo. Mais c'est fini !

Tandis que le Monstre claque la porte derrière lui, Cleo s'effondre, en larmes.

Dans le laboratoire de Ghoulia, la situation semble échapper à la jeune zombie. Manny Taur et Thomas Cramé l'ont rejointe. Persuadés que ce qui s'affiche sur les écrans est un nouveau jeu vidéo, ils se sont emparés des commandes. Ils dirigent les satellites, essayant de détruire la Comète.

À la grande surprise de Ghoulia et d'Abbey, celle-ci réagit en tirant des rayons qui repoussent les satellites !

– Une comète peut avoir un système de défense ? demande Abbey, perplexe.

Ghoulia secoue la tête. Visiblement, il ne s'agit pas d'une comète… mais d'un vaisseau spatial !

L'heure du gala

Toujours perchés au sommet de la Gargouille de la Liberté, Catty et Pharaoh discutent, de plus en plus complices. Pharaoh finit même par livrer son secret à la chanteuse : aujourd'hui était le dernier jour de sa vie de rappeur. Après ce soir, il raccrochera définitivement. Il ne chantera plus.

– Mais pourquoi ? s'exclame Catty, sans comprendre. Tu as du talent, tu ne peux pas tout abandonner comme ça ! Tu dois rester toi-même !

Les deux Monstres échangent un regard troublé… Soudain, Catty bondit sur ses pieds. Elle vient de se souvenir que ses amies l'attendent

pour se rendre au gala ! Avant de filer, elle se retourne vers Pharaoh.

– Repense à ce que je t'ai dit, lui souffle-t-elle. J'espère qu'on se reverra…

Au même moment, dans leur hôtel, les Goules se préparent pour le gala. Coiffure, tenues : ce soir, elles seront les plus belles !

Mais dans sa suite, Cleo ne bouge pas. Effondrée sur le sol, la Goule sanglote quand Nefera la rejoint.

– Qu'est-ce que tu fais ? demande cette dernière, qui feint d'ignorer ce qui s'est passé avec Deuce.

– Je me fiche de ce gala ! répond Cleo. Je n'irai pas !

– Tout le monde t'attend, la raisonne Nefera. Ta famille, tes amies, un tas d'Égyptiens importants…

La Goule s'occupe rapidement du maquillage de sa sœur.

– C'est une soirée très spéciale, Cleo. La Nuit de la Comète ! Tu n'as pas envie de décevoir tous ceux qui sont venus, n'est-ce pas ?

Nefera connaît bien sa sœur ; elle sait comment lui parler. Séchant ses larmes, Cleo se redresse pour la suivre.

L'heure du grand gala est enfin arrivée ! La foule se presse devant le Muséum d'Histoire Surnaturelle.

Des projecteurs balayent le tapis rouge sur lequel s'avancent Frankie, Clawdeen, Draculaura et Operetta. À l'intérieur, les Goules retrouvent Elle la DJ, qui passe ce soir de la musique classique, mais aussi Luna, engagée comme serveuse pour l'événement.

Cleo fait enfin son apparition. Elle salue la foule en souriant. Quelques pas derrière elle, Nefera et Ramsès chuchotent :

– J'imagine que les fiançailles se dérouleront sans accroc ? demande Ramsès.

– Bien sûr, papa, souffle Nefera. Je me suis occupée de tout…

Mme Ptolémée, l'organisatrice du gala, monte sur scène pour un discours de bienvenue. Elle raconte à ses invités la légende de la Comète.

– Nos ancêtres pensaient qu'elle était un cadeau des êtres qui vivent là-haut, dans l'espace infini, au-dessus de nous. Une race mystérieuse qui nous aurait offert ce Cristal. Pourquoi ? Nul ne le sait. Ce que nous savons, en revanche, c'est que toute promesse faite à la lumière de la Comète est impossible à rompre !

Mme Ptolémée poursuit ses explications en racontant au public la tradition des fiançailles royales égyptiennes. Puis arrive enfin le moment tant attendu : le Cristal Cométaire est révélé aux yeux de tous !

– Bienvenue à la Nuit de la Comète ! s'écrie Mme Ptolémée. Lorsque sonneront les douze coups de minuit, je vous inviterai à me rejoindre sur le toit du musée pour observer la Comète, qui se trouvera alors juste au-dessus de nos têtes !

La fête reprend son cours. Apprenant la rupture de Cleo et Deuce, les Goules sont perplexes : pourquoi leur ami a-t-il fait une chose pareille ? Elles observent Cleo, qui se tient à côté du Cristal avec sa sœur.

– Oh, mon Râ ! s'exclame Nefera.

Tu dois en avoir assez d'entendre parler de Seth, ce soir, non ?

— Seth Ptolémée ? interroge Cleo, sans comprendre.

— Tu n'es pas au courant ? Tout le monde pense que Seth et toi allez vous fiancer à la lumière de la Comète ! Une union entre les De Nile et les Ptolémée... Il faut admettre que ce serait historique !

Nefera ne s'arrête pas en si bon chemin : elle sait que pour convaincre sa sœur, elle doit lui faire croire que son peuple ne désire qu'une chose : cette union. Cleo hésite. Et si Nefera avait raison ?

Au même moment, à Monster High, Abbey et Ghoulia font une découverte d'une importance capitale. Non seulement la Comète est un vaisseau spatial, mais en plus un pilote se trouve à l'intérieur ! Le problème, c'est qu'il semble plongé dans un profond sommeil, comme en hibernation.

– Alors si on le réveille, on peut sauver le monde ? demande Abbey. Mais comment on va faire ça ?

Ghoulia n'en a aucune idée, mais une chose est sûre : elle ne laissera pas tomber ses amis ! La zombie ne s'accorde aucune pause. Elle dévie les satellites, projette des rayons sur le vaisseau… Sans succès : le pilote dort toujours profondément !

La Goule ignore que ses actions ont des conséquences à Boo York. En effet, chaque fois qu'elle est touchée, la Comète se défend en projetant des rayons musicaux vers la Terre. Et la seule qui les perçoive, c'est Elle, la jeune robot DJ. Chaque émission du vaisseau spatial la plonge dans une sorte de transe…

Sans voix !

Dans la grande salle de bal du musée, Cleo a pris sa décision. *Je suis Cleo de Nile,* se dit-elle. *Et je dois donner au peuple ce qu'il désire.* La Goule rejoint Nefera pour lui annoncer qu'elle accepte de se fiancer à Seth.

Avec un timing parfait, Mme Ptolémée s'avance sur scène pour faire une annonce.

– Votre attention, s'il vous plaît ! Je suis ravie de vous présenter l'avenir des dynasties De Nile et Ptolémée !

D'un geste, elle désigne Cleo et Seth, qui se tiennent côte à côte, tête baissée. Un murmure parcourt la foule.

– À minuit, à la lumière de la Comète, Seth et Cleo seront unis pour l'éternité !

Les invités applaudissent à tout rompre, tandis que les Goules poussent un cri de surprise : Cleo va se fiancer ?!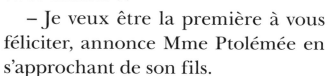

– Je veux être la première à vous féliciter, annonce Mme Ptolémée en s'approchant de son fils.

Mais Seth vient d'apercevoir quelqu'un dans le public. Quelqu'un qui lui donne la force de tenir tête à sa mère.

– Non ! annonce-t-il d'une voix forte.

Mme Ptolémée le regarde, stupéfaite.

– Je refuse ! poursuit l'héritier. Je ne te laisserai pas m'enlever ma

musique. Et je ne porterai plus ce masque !

Arrachant son masque d'or, Seth révèle son visage à la foule. Stupéfaits, tous reconnaissent Pharaoh, le rappeur de rue ! Dans la salle, Catty en reste bouche bée. Elle ne le sait pas, mais c'est sa présence qui a provoqué cette rébellion… Et Pharaoh ne s'arrête pas là : il s'empare d'un

micro et se met à rapper ! Bientôt, Catty le rejoint, et tous deux enflamment le public.

Tout le monde est ravi... sauf Mme Ptolémée, Ramsès et Nefera. Cette dernière est furieuse que son plan si minutieusement étudié ait échoué. Refusant de baisser les bras, elle se dirige vers le Cristal Cométaire.

– Tout ce qui est dit en présence de la Comète est éternel, murmure-t-elle avec un rire diabolique, avant de s'emparer du Cristal.

Nefera et sa complice Toralei rejoignent ensuite le toit du musée, où se sont isolés Catty et Pharaoh.

– Cristal Cométaire ! ordonne Nefera. Empare-toi de leurs voix, prends leur musique et, avec elle, leur amour !

Le Cristal s'illumine dans la nuit. Les voix des deux chanteurs quittent leurs corps et sont emprisonnées dans le Cristal !

– Qu'est-ce qui s'est passé ? interroge Catty, qui se sent soudain vide.

– Je ne sais pas, souffle Pharaoh.

Le jeune Monstre sent lui aussi qu'il a perdu toute détermination. Il ne peut plus chanter. Et quand sa

mère vient le chercher, il n'a pas la force de lui résister. Tête basse, il la suit à l'intérieur du musée.

Sonnée, Catty rentre à son tour. Ses amies l'interpellent, sans savoir ce qui s'est passé.

— On ne savait pas que tu avais des sentiments pour Seth… enfin, pour Pharaoh ! la taquine Clawdeen.

— Je suppose que j'en avais, oui…

— Tu en *avais* ? répète Frankie, qui n'y comprend plus rien.

Les deux amoureux avaient l'air si bien il y a encore quelques minutes, lorsqu'ils chantaient en duo pour les invités…

Les Goules n'ont pas le temps de se poser plus de questions : Mme Ptolémée s'avance de nouveau sur la scène et annonce, gênée, que la déclaration de son fils n'était qu'une simple blague…

– La cérémonie aura bien lieu ! déclare-t-elle, rassurante.

Un peu plus loin, dans la salle, Nefera tend le Cristal à Toralei.

— Débarrasse-nous de ça ! ordonne-t-elle discrètement.

Les deux Goules ne se sont pas rendu compte que, dans l'ombre, quelqu'un les écoutait. C'est Mouscedes, la jeune rate boo-yorkaise !

Au même moment, à Monster High, Ghoulia tape désespérément sur son clavier, consciente qu'elle ne dispose plus de beaucoup de temps pour arrêter le vaisseau.

— Qu'est-ce qui se passera si tu ne réussis pas à réveiller le pilote ? lui demande Abbey.

La zombie mime une explosion gigantesque.

Inconscients du danger, Manny et Thomas continuent à jouer avec les satellites, comme s'il ne s'agissait que d'un jeu vidéo.

– Combo de trois satellites ! annonce fièrement Manny.

Et, pour fêter son score, le Monstre se lance dans un solo de guitare imaginaire. En le regardant, Ghoulia a soudain une idée…

Elle tape de nouveau sur son clavier, puis tend l'oreille. Une mélodie se fait entendre.

C'est ça, le signal qu'envoie le vaisseau. C'est de la musique !

Ghoulia attrape une craie et trace les lignes d'une partition sur son tableau noir afin de pouvoir noter la mélodie.

– Un message ? répète Abbey. Mais
que peut-il bien vouloir dire ?

7

Luna à Croc-dway

Toralei s'éloigne dans les rues de Boo York, le Cristal à la main. Son intention était d'aller le jeter dans le fleuve qui traverse la ville… mais elle vient d'avoir une idée. Elle s'arrête pour observer le Cristal.

– Si ce truc peut prendre la voix de quelqu'un… alors pourquoi ne pourrait-il pas la donner à quelqu'un d'autre ?

À Monster High, tout le monde le sait : la peste chante comme une casserole. Ce qui ne l'empêche pas de rêver de devenir une star !

L'occasion est trop belle : Toralei se met à secouer le Cristal en criant :

— Allez, stupide pierre ! Donne-moi la voix de Catty !

Et ça fonctionne ! Le Cristal s'illumine de nouveau. Quand la voix se dissipe, la peste ouvre la bouche et se met à chanter de façon sublime…

À quelques rues de là, Deuce est assis sur un banc. Il a l'air de parler tout seul.

— C'est comme si j'étais coincé entre un rocher et… euh… un autre rocher ! marmonne-t-il. Soit je romps avec Cleo et elle a tout ce qu'elle mérite, soit je reste avec elle et je gâche sa vie…

Un vendeur de hot-dogs lui tend sa commande.

— Comme je le dis toujours, gamin : on est à Boo York, alors tente le tout pour le tout !

— Vous avez raison ! s'exclame Deuce en bondissant sur ses pieds. Merci !

Et le Monstre s'éloigne, bien décidé à aller parler à Cleo.

Au même moment, au musée, Frankie et ses amies entourent Catty.

— Comment tu te sens ?

— Vide…, souffle Catty.

Operetta tente de la faire chanter pour lui remonter le moral, mais la Goule en est incapable !

– On lui a volé sa voix ! explique Mouscedes en surgissant près des Goules. J'ai entendu Nefera le dire à Toralei tout à l'heure. Je parie que c'est elle qui a le Cristal !

– Et les voix de Catty et de Pharaoh doivent se trouver à l'intérieur, comprend Frankie.

Mais comment retrouver la peste ? Elle pourrait être n'importe où…

– Réfléchissons… Elle possède la voix de deux des plus grands chanteurs du monde, s'exclame soudain Luna. Je sais où elle a dû aller !

La jeune provinciale entraîne les Goules jusqu'à Croc-dway, le quartier des théâtres. C'est là que se rendrait quelqu'un qui voudrait devenir une star de la chanson !

Et, effectivement, il ne faut pas longtemps aux Goules pour repérer Toralei. Sur scène, la peste chante avec une voix envoûtante.

– La cérémonie va avoir lieu dans moins d'une heure ! annonce Operetta. On doit faire vite !

– Je crois que je sais comment récupérer le Cristal, leur dit Luna. La jeune Goule est une artiste qui rêve depuis toujours de se produire à Croc-dway. Elle n'hésite donc pas à rejoindre Toralei sur scène. Les autres Goules lui emboîtent bientôt le pas.

La peste fronce les sourcils, mais elle ne peut s'interrompre en plein spectacle ! Elle fait donc comme si l'arrivée des autres en faisait partie.

Tout en captivant le public grâce à ses talents d'actrice, Luna arrache le Cristal des mains de Toralei, puis le lance à Catty. La voix de cette dernière revient aussitôt et elle se met à chanter.

Enthousiasmée, la salle se lève pour applaudir la star. Furieuse, Toralei tente de reprendre l'avantage… mais elle a retrouvé son horrible voix naturelle et la foule la hue. Les Goules en profitent pour filer discrètement.

— C'était génial, tu chantes super-bien, Luna ! la félicite Draculaura.

— C'est sûr, tu vas devenir une star de Croc-dway ! ajoute Operetta.

Elle ne croit pas si bien dire : un producteur s'avance vers la Goule pour lui faire signer un contrat, bientôt rejoint par un second…

— On dirait que Luna a trouvé ce qu'elle était venue chercher à Boo York ! remarque Frankie.

Mais les Goules ne peuvent pas rester auprès de leur amie.

— On doit retourner au musée avant la cérémonie ! les presse Catty.

Elles croisent Deuce au coin de la rue et tous embarquent dans un taxi, direction le musée. Elles ignorent que Toralei est en train de téléphoner à

Nefera pour lui raconter ce qui vient
de se passer…

Furieuse, la grande sœur de Cleo
s'enfonce dans les galeries égyptiennes
du musée. Elle repère le présentoir
des amulettes et s'empare de l'une
d'elles.

– Alors, laquelle de vous pourra m'aider à ralentir ces Goules ?

Après en avoir testé quelques-unes, Nefera trouve ce qu'elle cherchait : un puissant nuage de magie, qui grossit jusqu'à englober toute la ville, la plongeant dans l'obscurité !

Les invités du gala, réunis sur le toit du musée, s'interrogent, inquiets. Nefera s'adresse à eux :

– Revenons à la cérémonie !

– Elle a raison, approuve Mme Ptolémée. La seule lumière dont nous ayons besoin, c'est celle de la Comète !

Rassurée, la foule applaudit. Cleo et Seth s'avancent et joignent leurs mains...

La nouvelle élève

Dans les rues de Boo York, la circulation est totalement bloquée : les voitures ne peuvent plus avancer dans l'obscurité et les trottoirs sont encombrés par les passants venus observer la Comète…

– On n'arrivera jamais au musée à temps ! soupire Draculaura.

Mais Catty a soudain une idée.

– Accompagnez-moi, je sais comment traverser la ville…

Les Monstres sortent du taxi et suivent la chanteuse sur les toits de Boo York ! Ils filent à toute vitesse quand, soudain, Elle la DJ a une nouvelle crise.

– Il faut qu'on trouve un moyen de l'aider ! s'écrie Frankie.

– Mais comment ? interroge Draculaura. On ne connaît rien aux robots…

– Nous non, mais Ghoulia, si ! lance Frankie, en sortant son portable.

À Monster High, Ghoulia décroche et Frankie lui résume rapidement la situation. Intriguée, la zombie enregistre les sons émis par Elle, la jeune robot. Une série de notes de musique apparaît sur son écran.

Ghoulia écarquille les yeux et se précipite vers son tableau pour y noter une mélodie. Abbey reprend le combiné.

– Merci de votre aide, annonce-t-elle aux Goules, qui n'y comprennent

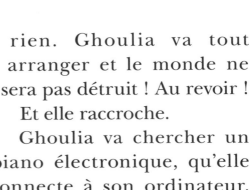

rien. Ghoulia va tout arranger et le monde ne sera pas détruit ! Au revoir !

Et elle raccroche.

Ghoulia va chercher un piano électronique, qu'elle connecte à son ordinateur. À présent, elle pianote sur son clavier d'ordinateur d'une main et, de l'autre, sur son instrument ! Tous les élèves la regardent faire, les yeux rivés sur l'écran. Ghoulia est en train d'envoyer une mélodie vers le vaisseau !

Sur le toit du musée, la cérémonie des fiançailles commence. Cleo et

Seth semblent aussi malheureux l'un que l'autre.

– Seth, promets-tu d'être lié pour toujours à Cleo de Nile ? demande Mme Ptolémée.

– Oui, répond tristement Seth.

– Et toi, Cleo, promets-tu d'être liée pour toujours à Seth Ptolémée ?

– Ou…

– NON ! hurle Deuce, qui surgit juste à temps. Ne fais pas ça !

Un sourire illumine le visage de Cleo, qui court se jeter dans ses bras.

– Tu es revenu ! s'écrie la Goule.

– Je ne voulais pas te perdre. Je suis désolé pour ce que je t'ai dit tout à l'heure. Je veux juste ce qu'il y a de mieux pour toi…

– J'ai déjà ce qu'il y a de mieux ! réplique Cleo en l'enlaçant.

Pendant ce temps, Catty lève le Cristal et le dirige vers Seth.

– Maintenant, Cristal, rends-lui sa voix !

La lumière magique enveloppe le Monstre, qui se met aussitôt à chanter. Arrachant une seconde fois son masque d'or, il rejoint Catty, rayonnant de bonheur.

Puis tous deux s'avancent vers Mme Ptolémée.

– Chanter me rend heureux, explique Seth. C'est ce que je suis.

Devant la joie manifeste de son fils, sa mère se radoucit et le serre même dans ses bras.

– Non ! hurle Nefera, furieuse de voir les choses s'arranger pour tout le monde sauf pour elle. Arrêtez tout !

Le silence se fait, tandis que les regards se tournent vers la princesse égyptienne.

– Ce n'était pas censé se passer comme ça ! C'était ma soirée ! Mon pouvoir, ma dynastie !

Soudain, un cri résonne dans la foule.

– Regardez ! La Comète ! lance Draculaura. Elle se dirige droit sur nous !

Des hurlements s'élèvent de toutes parts, la panique s'empare des invités. Mais, à la dernière seconde, la Comète s'arrête.

Ghoulia a réussi ! La mélodie qu'elle a envoyée a fini par réveiller le pilote, qui a pu reprendre les commandes de son vaisseau avant qu'il ne heurte Boo York !

Il flotte maintenant au-dessus du musée. Les spectateurs découvrent,

ébahis, que la Comète est en réalité une navette spatiale.

– J'entends quelque chose, annonce Elle, en s'avançant. Ça vient de l'intérieur.

Un rai de lumière jaillit alors du vaisseau et un être vivant flotte jusqu'au toit.

La foule murmure, ébahie.

– C'était vrai ! s'exclame Mme Ptolémée. Le Cristal nous vient des êtres qui vivent là-haut, dans les étoiles !

Catty s'avance vers la mystérieuse silhouette et lui tend le Cristal.

– Tiens, je crois que ça t'appartient.

– Merci ! Je m'appelle Astranova. La musique que vous avez entendue était un signal de détresse. Vous m'avez sauvée !

– C'est plutôt toi qui nous as sauvés ! répond Catty. Nous sommes tous venus à Boo York pour chercher quelque chose. Et sans toi, nous ne l'aurions jamais trouvé…

Elle, la jeune robot, a révélé la voix cachée au plus profond d'elle, Luna a lancé sa carrière à Croc-dway, Mous-cedes s'est fait de nouvelles amies, Cleo a réaffirmé son amour pour Deuce.

– Merci de m'avoir aidée à trouver ma musique, ajoute Catty en souriant à Pharaoh.

Astranova sourit en regardant autour d'elle.

– Vous faites la fête ? J'adore les fêtes !

Elle lâche le Cristal, qui reprend sa place sur son vaisseau. Puis, en jouant une mélodie, Astranova fait s'élever dans les airs tous les invités !

Les Goules se regardent, heureuses d'être réunies. Bientôt, tout le monde danse en apesanteur, tandis que des feux d'artifice explosent dans le ciel de Boo York…

Quelques jours plus tard, Astranova est une nouvelle élève de Monster High. Unique, comme tous ses

camarades ! Soudain, son portable sonne.

– Désolée de ne pas vous avoir rappelées plus tôt, dit Astranova en décrochant. Vous n'allez pas me croire : je suis à Monster High !

– Merveilleux ! répondent en chœur deux voix féminines.

– Tous ces endroits dont on nous parlait dans les histoires… Ils existent vraiment ! ajoute Astranova, ravie.

Sur l'écran de son téléphone apparaissent les visages d'Apple White et de Raven Queen. Astranova sourit à ses amies.

Qui sait quelles nouvelles élèves
Monster High accueillera demain ?

 Fin

Retrouve très bientôt une nouvelle
aventure de Monster High
à la Bibliothèque Rose !

TABLE

PAPIER À BASE DE
FIBRES CERTIFIÉES

hachette s'engage pour
l'environnement en réduisant
l'empreinte carbone de ses livres.
Celle de cet exemplaire est de :
350 g éq. CO₂
Rendez-vous sur
www.hachette-durable.fr

Photogravure Nord Compo - Villeneuve-d'Ascq

Imprimé en Espagne par CAYFOSA
Dépôt légal : novembre 2015
Achevé d'imprimer : octobre 2015
19.7886.3/01 – ISBN 978-2-01-231736-9
Loi n° 49956 du 16 juillet 1949
sur les publications destinées à la jeunesse